ELENA

y el secreto de Ávalor

Escrito por Craig Gerber y Catherine Hapka
Illustrado por Grace Lee

LIBROS DISNEY

Soy Sofía.

He descubierto una biblioteca secreta llena de historias que necesitan finales felices. Ahora soy una **guardiana de cuentos**, y estoy a cargo de que los finales felices existan.

La biblioteca me muestra un libro titulado
La princesa perdida de Ávalor.
—¿Como mi amuleto de Ávalor? —me pregunto.
De repente, ¡aparece un mago!

—Exactamente como tu amuleto —contesta—.
Soy Alacazar. Fui el **mago real**
del reino de Ávalor.

Alacazar me cuenta su historia.

—Hace cuarenta y un años, en el reino de Ávalor, vivía una princesa llamada Elena —comienza—. Un día, su reino fue invadido por una malvada hechicera llamada Shuriki. Elena se enfrentó a Shuriki, eso me dio tiempo para proteger a su hermana Isabel y a sus abuelos.

»El Amuleto de Ávalor

protegió a la princesa,
metiéndola en su interior.

—¿Así que la princesa Elena
está **atrapada** dentro
de mi amuleto? —pregunto.

—Sí —responde Alacazar—.
Y tú eres la princesa
que ha sido elegida
para liberarla.

¡Tengo que ayudar a la princesa Elena!
Voy a buscar a mi familia. He de
convencerlos para viajar a ¡Ávalor!

Mamá y papá han aceptado.

Estoy emocionada y nerviosa. Espero que pueda liberar a **Elena** cuando lleguemos a Ávalor.

¡Ávalor es el reino más increíble que jamás haya visto! Alacazar me explicó dónde encontrar su casa y cómo convocar a su guía espiritual. Pero, ¿cómo voy a encontrar su casa en un lugar tan grande?

Y, ¿qué es un guía espiritual?

La reina Shuriki y el canciller
Esteban nos reciben en el puente.
Shuriki sonríe y la multitud aplaude,
pero la gente no parece feliz.
—Es un honor que visiten mi humilde reino
—dice Shuriki.
Después nos invita al palacio.

Mientras comemos en el jardín,
nos sobrevuelan unas extrañas criaturas.
—Son jaquins —explica un sirviente.

Estas criaturas mágicas son el
símbolo de Ávalor. De pronto, los jaquins descienden
y cogen comida de la mesa. Shuriki está furiosa.
—¡Fuera de aquí!

Los demás entran en el palacio, pero yo no.

—¡Hola! —llamo a los jaquins—. ¿Podéis ayudarme?

—No ayudamos a amigos de Shuriki —dice uno de ellos.

Les explico que he venido a rescatar a la princesa

Elena. ¡Los jaquins se sorprenden! Pensaban que Elena había

desaparecido para siempre.

—Haremos lo que sea para ayudar a la princesa Elena —dice un jaquin llamado Skylar.

Les pido que me lleven a casa de Alacazar.

Cuando llegamos, conozco a Mateo, el nieto de Alacazar.

¡También se ofrece a ayudarme!

Mateo, que ha practicado para convertirse en mago, convoca a un **animal espiritual** llamado Zuzo. **¡Eso es** lo que Alacazar quería decir! Zuzo dice que tengo que robar la varita de Shuriki. Después he de encontrar la estatua de Aziluna en un antiguo templo. Cuando ponga la varita y mi amuleto en la estatua, Elena será **liberada**.

Cuando vuelvo al palacio, convenzo a Shuriki para que **baile** conmigo.

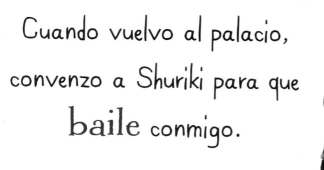

¡Entonces cojo su **varita**!

Con la varita, me dirijo al templo.
Dentro hay un lago encantado.
¡La estatua tiene que estar en el agua!

—Me vendría genial ser una sirena
—digo, tocando mi amuleto.

Por arte de magia ¡me convierto en sirena!
Cuando comienzo a nadar, ¡la estatua emerge
del agua! Coloco en la estatua mi amuleto
junto a la varita, y entonces...

¡Aparece la princesa Elena!

—Sabía que me liberarías, Sofía —exclama—. ¡Gracias!

—¡De nada! —digo, poniéndome el amuleto.

Ahora es rosa. Elena coge la varita de Shuriki.

—¡Ya puedo liberar a mi reino!

Volamos al palacio, pero mi **jaquin** no puede seguir el ritmo. Elena tendrá que enfrentarse sola a Shuriki.

En la sala del trono, Elena ve un **misterioso cuadro** de su hermana y sus abuelos.

—Así les ha protegido Alacazar —gruñe Shuriki—. Están en un cuadro encantado que **mi** magia no puede romper.

Shuriki coge su varita y manda apresar a Elena,
pero ¡Skylar entra y se la lleva!
—¡Cogedla antes del anochecer! —grita—. A ella
y a esa **princesita**, Sofía.

Mis padres protestan,
pero Shuriki ordena que los
encierren.

Mijaquin y yo alcanzamos a Elena y a Skylar,
y regresamos a casa de Mateo.

—¿Qué ha pasado? —pregunto a Elena.

—He hecho todo lo posible —dice—, pero
Shuriki tiene a tu familia. Lo siento.

¡Oh, no!

La madre de Mateo llega con unos amigos.
Ha oído que la princesa Elena ha vuelto.

Al verlos, me doy cuenta de que los amigos
de Elena harían cualquier cosa por ella.
—¡Juntos podemos enfrentarnos a Shuriki! —digo.

Así que Elena prepara un plan...

En la primera parte del plan, los jaquins distraen a Shuriki, así Elena y yo podemos colarnos en el palacio.

Nos encontramos con un sirviente. Él también se alegra
de ver a Elena. Nos ayuda a encontrar a mi familia
y, juntos, ¡los liberamos!

¡Ahora, salvemos a la familia de Elena!

Corremos a la sala del trono. Mateo usa uno de los **hechizos** de su abuelo para liberar del cuadro a la familia de Elena.

—¡Isabel! —exclama Elena abrazando a su hermana—.
¡Te he echado mucho de menos!

¡Estoy **tan** feliz por Elena!

Pero aún tenemos que encontrar a Shuriki

y recuperar el reino. Ha llegado la última parte del plan.

Los jaquins llevan fuera a Shuriki.
Allí la esperamos todos: Elena, nuestras
familias, el pueblo de Ávalor ¡y yo!
Estamos preparados para enfrentarnos
a ella, juntos.

—¡Fuera de mi palacio! —ordena Shuriki.
—¡Nunca fue tu palacio! —dice Elena—. ¡No
puedes detenernos a todos!

Shuriki sonríe.

—No tengo que detener
a nadie —dice—.
Sólo a ti.

Levanta su varita, pero ¡el canciller
sujeta la mano de Shuriki!
—Es la fuente de su magia —dice,
lanzándosela a Elena.

Elena rompe la varita por la mitad.
—¡No! —grita Shuriki.

Sin sus poderes mágicos, ¡se convierte en una anciana y huye!

¡Ávalor es libre de nuevo!
—¡La princesa Elena!
¡La legítima heredera de Ávalor!
—¡Princesa Elena!
—vitorea la multitud.

—Gracias, Sofía —dice Elena—. No podría haberlo conseguido sin una **amiga** tan valiente y lista como tú.

En Encantia, me apresuro a ir a la biblioteca secreta para contar a Alacazar lo que ha sucedido.

—Has ayudado a crear un final excelente —dice—. De hecho, creo que la historia de Elena acaba de empezar.

Fin